Les personnages de l'histoire

1. Montre le dessin quand tu entends le son (an) comme dans maman.

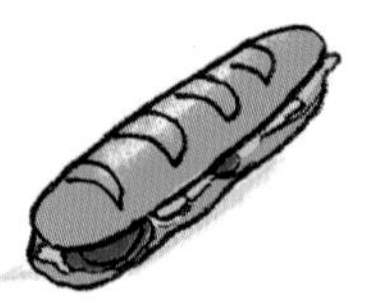   

2. Montre le dessin quand tu entends le son (oi) comme dans poire.

3. Lis ces syllabes.

van phier sin veu fou gar

ten mon nou pan gé sai

Le zoo

Emmanuelle Massonaud

hachette
ÉDUCATION

Avec Sami et Julie, lire est un plaisir !

Avant de lire l'histoire

- Parlez ensemble du titre et de l'illustration en couverture, afin de préparer la compréhension globale de l'histoire.
- Vous pouvez, dans un premier temps, lire l'histoire en entier à votre enfant, pour qu'ensuite il la lise seul.
- Si besoin, proposez les activités de préparation à la lecture aux pages 4 et 5. Elles permettront de déchiffrer les mots les plus difficiles.

Après avoir lu l'histoire

- Parlez ensemble de l'histoire en posant les questions de la page 30 : « As-tu bien compris l'histoire ? »
- Vous pouvez aussi parler ensemble de ses réactions, de son avis, en vous appuyant sur les questions de la page 31 : «Et toi, qu'en penses-tu ?»

Bonne lecture !

Couverture : Mélissa Chalot
Maquette intérieure : Mélissa Chalot
Mise en pages : Typo-Virgule
Illustrations : Thérèse Bonté
Édition : Emmanuelle Saint

ISBN : 978-2-01-701534-5

Achevé d'imprimer en Espagne par Unigraf
Dépôt légal :Mars 2019 - Collection n° 12 - Édition 06 - 35/9888/4

4 Lis ces mots-outils.

5 Lis les mots de l'histoire.

un zoo   un téléphone   une girafe

un panda   un chimpanzé   un soigneur

Chouette ! Papi, Mamie,

Sami et Julie partent

pour le zoo.

Julie a emprunté

son téléphone à Papi.

Elle va photographier

chaque animal et raconter

sa visite à l'école.

ZOO
Papi, on commence par les singes !

Julie veut absolument une photo de ce gros chimpanzé qui grimace.

– On dirait qu'il a envie de nous embrasser ! remarque Sami.

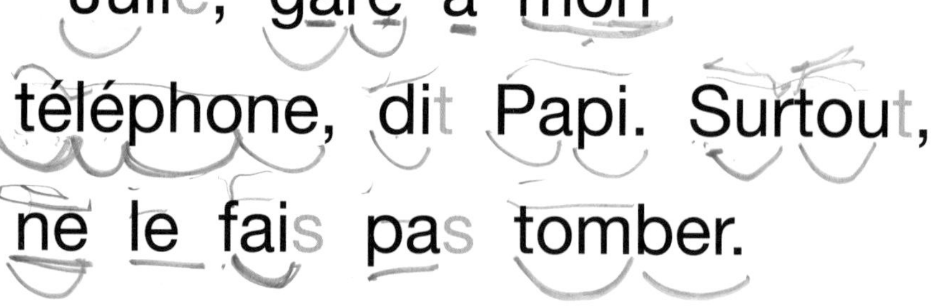

– Julie, gare à mon téléphone, dit Papi. Surtout, ne le fais pas tomber.

Mais la foule est tellement nombreuse qu'un maladroit bouscule Julie. Patatras ! Le super téléphone de Papi tombe devant le grand singe ! Papi se fâche ; Julie sent les larmes monter…

Mais Papi garde son sang-
froid.
– Allons chercher
un soigneur, décide-t-il.
– Le singe attrape
le téléphone ! hurle Sami.
Julie et Papi filent à travers
la foule. Ils réussissent
à trouver le soigneur.

En écoutant le récit
de Julie, le jeune homme,
ébahi, se gratte la tête.
– Allons, allons,
réfléchissons… Je vais
tenter de proposer
un échange à Zorba, dit-il.
Ses fruits préférés
contre le téléphone.

CHIMPANZÉS
ZOO

Tout le monde observe
Zorba, occupé à manipuler
l'étrange objet.
Le soigneur entre avec
prudence dans l'enclos.
La foule scrute le soigneur
quand il s'approche
du chimpanzé avec
la nourriture...

ZOO

Heureusement, l’animal n’hésite pas longtemps entre les bons fruits juteux et un téléphone portable.

– Je l’ai ! s’écrie le soigneur triomphant.

– Pour le soigneur, hip , hip, hip, hourra ! hurlent Sami et Julie, soulagés.

ZOO

Sami et Julie ont admiré

les félins, les otaries,

ou encore les girafes.

Ils gardent leur animal

préféré pour la fin :

le panda.

PANDA

Tout à coup, les enfants rassemblés devant l'animal éclatent de rire : le panda fait un gigantesque popo vert !

– Savez-vous d'où est venue cette couleur verte qui vous fait tant rire ? demande Mamie.

– Des bambous ! dit Julie. Il ne mange que ça !

– C'est ce que je pensais, conclut Sami : je dois, à tout prix, éviter les épinards !

Dans la voiture, Julie
découvre ses photos.
– Ouaaah ! s'écrie Sami,
elle est géniale, la tête
de Zorba !
– C'est bizarre, marmonne
Julie, je n'ai pas eu le temps
de le photographier…
– C'est Zorba lui-même
qui a pris cette photo !
dit Papi.

ZOO

– Mais alors, s'écrie Julie, je vais montrer à ma classe un selfie de chimpanzé !!!

AHAHAHAHAH
AH
AH

As-tu bien compris l'histoire ?

1 Quel est le premier animal que veut voir Sami ?

2 Que fait tomber Julie dans l'enclos des chimpanzés ?

3 Que propose le soigneur au chimpanzé pour récupérer le téléphone ?

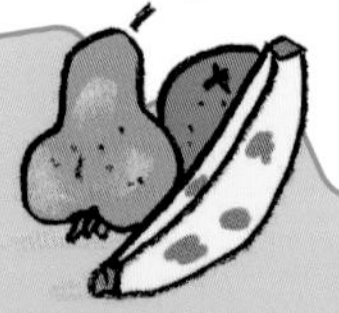

4 Qu'est-ce qui fait rigoler les enfants devant l'enclos du panda ?

5 Que découvre Julie dans les photos du téléphone ?

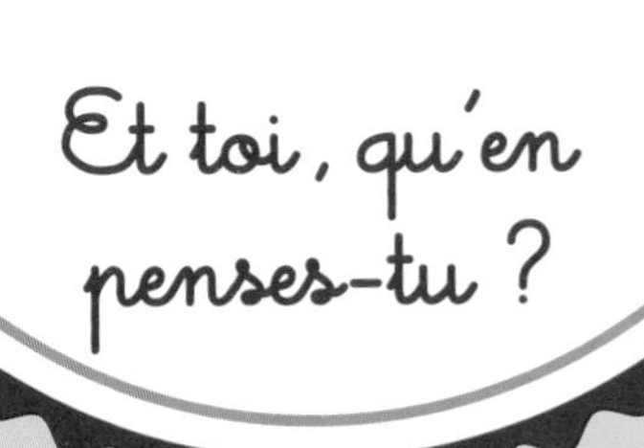

Es-tu déjà allé(e) au zoo ?

Quels animaux préfères-tu observer au zoo ?

As-tu déjà pris des photos ?

Sais-tu où vivent les pandas à l'état sauvage ?

Dans la même collection :

Début de CP

Milieu de CP

Fin de CP

hachette
ÉDUCATION